दूर क्षितिज तक

ब्रह्म प्रकाशन

सी-5/एस-2, ईस्ट ज्योति नगर, दुर्गा पुरी चौक,
शाहदरा, दिल्ली-110093

दूर क्षितिज तक

नरेश दाधीच

ISBN : 978-81-906406-5-7

ब्रह्म प्रकाशन

सी-5/एस-2, ईस्ट ज्योति नगर, दुर्गापुरी चौक,
शाहदरा, दिल्ली

द्वारा प्रकाशित

संस्करण : 2010

मूल्य : 200.00

श्री कृष्णा ऑफसेट प्रैस

द्वारा मुद्रित

DOOR KSHITIJ TAK

by **Naresh Dadhich**

ब्रह्म प्रकाशन, वाणी प्रकाशन की सहयोगी संस्था

"जो केवल देना ही जाने

ऐसा कोई हाथ कहाँ है ?"

इन पंक्तियों की खोज

जिस वरद् हस्त पर समाप्त होती है।

ऐसी सौम्या

महामहिम

श्रीमती प्रतिभा पाटील

राष्ट्रपति

को

सादर समर्पित

कविता के नाद का पिघलना...

इधर लिखी जा रही कविताओं को पढ़ता हूँ तो मुझे अपने मित्र कवि अरुण कमल की पंक्तियाँ फिर-फिर याद आती है जहाँ वह लिखते है कि गीत लिख पाना साधना की चरम परिणति है। हर कविता की इच्छा अन्ततः गीत बन जाना है क्योंकि वही संगीत के सबसे पास का बिन्दु है। दो देहों के बीच बस एक स्पंदित जीवन्त भित्ति। इस भित्ति तक पहुँचना ही कविता का ध्येय है और श्रेय भी। वहाँ पहुँचकर भाषा बहुत हल्की, भारहीन हो जाती है। शब्द अपनी पीठ से सारे माल-असबाब, सारे स्थूल अर्थ छोड़ते हुए, वस्तु से पदार्थ से अपने को लगभग पृथक् करते हुए, केवल छायाओं-प्रच्छायाओं, आभासों का वरण करते हुए उस भाव दशा को व्यक्त करते हैं जिसमें एक पूरी जीवन-स्थिति अंततः तिरोहित होती है। एजरा पाउंड ने इसीलिए कविता को 'आ' टिकुलेट म्यूजिक' कहा। बहुत कम कवियों को वह सिद्धि प्राप्त होती है, वो भी बहुत कम बार। नरेश दाधीच के खांटी गीतकार ने यह सिद्धि कैसे प्राप्त की इसके सम्बन्ध में तो कुछ नहीं कहा जा सकता लेकिन इतना निश्चित है कि एक लम्बे समय से उनके भीतर ही भीतर जो गीतों का ग्लेशियर तरह-तरह के मौसम की मार झेलते हुए चुपचाप, खामोश जमा हुआ था वह इस संग्रह के माध्यम से एकाएक पिघल पड़ा। फिर कहीं वे ग़ज़लें और नज्में बनीं और कहीं गीत, नवगीत।

नरेश के भीतर जमे हुए इस ग्लेशियर का पिघलना वास्तव में कविता के नाद का पिघलना है—जीवन की लय का पिघलना। कविता शब्द के दूसरे जीवन का नाम है जो कवि के विज़न और अनुभव से उसे मिलता है। कविता जीवन की लय है जो मनुष्य को मनुष्य बनाती है तथा

उसके सौन्दर्यबोध को जंग लगने से बचाती है। यह बात नरेश दाधीच की इस पुस्तक में शामिल होने पर पूरे यकीन के साथ कही जा सकती है। चाहे गीत हो या गज़ल, नज्म हो या नवगीत, इनके बीच से गुजरना राग की आग के बीच से गुजरना है। ऐसे समय में जब मानवीय रिश्तों की गरमाहट समाप्त हो रही है, मनुष्य की संवेदनाएँ काठ होती जा रही है, नरेश दाधीच अपने जीवनानुभव और विज़न की बोरसी से राग की आग चुपचाप चुरा कर लाते हैं और प्रमथ्यू की तरह उसे कविता के पाठक को बाँट देते हैं। नरेश की कविता को समझना जीवन की लय को समझना है। वही जीवन जिसके शैशव में न तो शरारतें बची हैं, न चन्दा मामा की कहानियाँ और न राग की आग। प्यार और बाजार दोनों एक दूसरे के सामने दो यौद्धा की तरह खड़े हैं। प्रेम और पीड़ा, संवेदना और सहानुभूति, अमर्ष और संघर्ष को यदि किसी जग एक साथ देखना हो तो हमें नरेश दाधीच की इस कविता पुस्तक के बीच से गुजरना होगा। समकालीन परिवेश की जटिलताओं का द्वन्द्व और उससे उभरने की उद्विग्नता, बैचेनी, छटपटाहट, तनाव और आक्रोश यहाँ स्पष्ट परिलक्षित होता है। यहाँ नरेश दाधीच ने विज़न और जीवनानुभव को कविता में ढाल कर संवेदना को गहराई प्रदान की है। तमाम कविताएँ गहरी संवेदना में डूब कर लिखी गई कविताएँ हैं। इस पुस्तक की कुछ पंक्तियों की बानगी विशेष रुप से उल्लेखनीय है—

जो सीधे हियड़े में उतरे,
ऐसी तो बारात कहाँ है।
जो मुझको यम से ले आए,
ऐसा कोई साथ कहाँ है।
जो सबके दिल में बस जाए,
ऐसी कोई बात कहाँ है।

ऐसे समय मे जब कविता उद्धरणीयता खोती जा रही है, उसका सगापन समाप्त हो गया हैं। सबके दिल में बस जाने वाली भीतर की रिक्तता को भरने वाली मनुष्य और मनुष्य जीवन में गहरी समझ पैदा

करने वाली यह गीत-ग़ज़ल, नज़्म तथा नवगीत की ऐसी पुस्तक है जो हमारे भावबोध को एक्सटेंड करती है। हमारी संवेदना का परिष्कार करती है। हमें उद्वेलित करती है, झकझोरती है तथा हमारे सामने जीवन और जीवन की समस्याओं का हल ढूँढने के लिए अनगिनत प्रश्न खड़े करती है। नरेश दाधीच की भाषा का अपना एक अलग स्कूल है इसे परम्परागत मीटर से नहीं अपितु आज के मनुष्य की साँसे की अनेक छोटी-बड़ी लयों से नापना होगा।

—कुमार कृष्ण

सत्यप्रिया
कैथलीघाट, सोलन-179215 (हि.प्र.)

मन की बात...

जीवन जितना मूर्त है जीवन-बोध उतना ही अमूर्त। व्यक्ति अपने जीवन में स्वंय से, अपनी परिस्थितियों से तथा अपने से संबधित व्यक्तियों से निरन्तर अन्तःक्रिया करता है। इस अन्तःक्रिया के फलस्वरूप उत्पन्न भावों को अमूर्तता के स्तर पर शब्दों में व्यक्त करना एक सुखद प्रक्रिया है। मेरा मानना है कि यह मनुष्यत्व को दर्शाता है। शब्द ब्रह्म है और उसकी साधना दुष्कर है। सरस्वती की कृपा जन्म जन्मान्तारों की तपस्या के पश्चात् मिलती है। मैं तो स्वंय को सरस्वती के मंदिर तक जाने वाले पथ पर उस दिशा मे हाथ जोड़े खड़े होने की स्थिति में पाता हूँ। जो कुछ मैंने लिखा है वह केवल इस स्थिति का ही परिणाम है। ईश्वर की अनुकम्पा से मेरा जन्म एक सुसंस्कृत एवं धार्मिक परिवार में हुआ जिसमें साहित्य के प्रति अनुराग एक पारिवारिक गुण है।

जैसे शरीर आत्मा का माध्यम है वैसे ही कवि भी कविता का माध्यम है। शरीर नश्वर है, कविता शाश्वत है। जो कविता देह से परे विचरण करते हुए शब्दों में प्रकट होती है वही पीढ़ियों तक गुनगुनाई जाती है। जीवन की सामान्य गतिविधियों में मनुष्य के व्यवहार, संरचनात्मक जकड़न, बदलाव की इच्छा व यथास्थिति को सहने की विवशता के साथ-साथ मानव-मन के अन्तरतम खोह में छिपे रहस्यों एवं उलझनों को संकेन्द्रित होकर अनुभूत करना एक उदात्त अनुभव है। इस अनुभव को शब्दों में ढालना एक सुखद आश्चर्य का भान कराता है। कवि होने का यह प्रयास मेरे जीवन के सर्वोत्तम क्षणों को प्रदर्शित करता है।

सुखद संयोगवश मुझे श्रीमती प्रतिभा पाटील (महामहिम राज्यपाल) से मिलने का अवसर मिला जो बाद की कई मुलाक़ातों का श्री गणेश था। सौभाग्यवश उनके निर्देशन में मुझे कुलपति का कार्य करने का भी अभूतपूर्व अवसर मिला। उनके स्नेहिल, मानवीय, करुणामय एवं गाँधीवादी व्यक्तित्व ने मुझे सर्वाधिक प्रभावित किया और मेरी संवेदनाओं को मुखरित करने की मुझे प्रेरणा दी। कालान्तर में डॉ. ताराप्रकाश जोशी जैसे मेघमय व्यक्तित्व के सम्पर्क में आना तथा वरिष्ठ साहित्यकार कुमार कृष्ण जैसे अकलुषित व्यक्ति से साहित्य चर्चा करना और इस शब्द यात्रा पर ***कविता के नाद पिघलना...***को शब्दायीत करना मेरे लिए शिवतुल्य था।

मेरी इस काव्य यात्रा के पथिक रहे मेरे शिष्य डॉ. बी. अरुण कुमार व डॉ. मीता शर्मा, मेरी स्नेहमयी पुत्रियाँ श्रुति व अर्चा तथा भ्रात-पुत्र चिन्मय जिन्होंने मेरी कविताओं व गीतों को समधुर श्रवण-श्रव्य की गरिमा से अभिहीत किया। शायद मेरी कविताओं में जाने-अनजाने में रागों का समावेश हो जाना इसी वातावरण की देन रही। इस काव्य-सृजन की साक्षी मेरी धर्मपत्नी डॉ. रीता दाधीच ने मुझे हमेशा पारिवारिक ज़िम्मेदारियों से मुक्त रखा और एक स्वतन्त्र वातावरण बनाए रखा। प्रस्तुत संग्रह का प्रकाशन इन्हीं उदारमना व्यक्तियों की प्रेरणा एवं पृष्ठ-पोषण का ही परिणाम है। इनके प्रति मे हृदय से कृतज्ञ हूँ।

प्रकाशन के लिए मैं श्री अरूण माहेश्वरी का आभार व्यक्त करना चाहता हूँ जिन्होंने हिन्दी-साहित्य को जीवित रखने का बेड़ा उठा रखा है।

—नरेश दाधीच

अनुक्रम

दूर गगन से आया पंछी...

दूर गगन से आया पंछी,
रिश्तों की एक प्यास लिए।
महकी-महकी सौंध लिए,
और जीवन का विश्वास लिए।

फिर देखा भय का साया,
रिश्तों में टकराहट देखी।
सूनी-सूनी गलियाँ देखीं,
लट्ठों की गरमाहट देखी।

टेढ़े मेढ़े चेहरे देखे,
आँखों में बस साँस लिए।
दूर गगन से आया पंछी,
रिश्तों की एक प्यास लिए।

ए.सी. के कमरे में सोते,
टूटे-फूटे सपने देखे।
खिड़की से बाहर झाँका तो,
लुटते-पिटते अपने देखे।

दूध पटकते ग्वाले देखे,
आगत की एक आस लिए।
दूर गगन से आया पंछी,
रिश्तों की एक प्यास लिए।

जेठ महीने बारिश देखी,
तपती लू की रातें देखीं।
साँप-नेवले मिलते देखे,
कटी जीभ की बातें देखी।

बुझा-बुझा सा यौवन देखा,
अंतिम-सी एक साँस लिए।
दूर गगन से आया पंछी,
रिश्तों की एक प्यास लिए।

कभी सोचता हूँ दिल से,
कहाँ गया वह भाईचारा।
जंगल और मवेशी के बिच,
ढाई आखर प्यारा-प्यारा।

कब देखेंगे हँसते मानुष,
गाय, भैंस और घास लिए।
दूर गगन से आया पंछी,
रिश्तों की एक प्यास लिए।

आओ मिलकर गीत बनाएँ

आओ मिलकर गीत बनाएँ
सपनों को सरपट दौड़ाएँ।
हँसते गाते जश्न मनाते
धरती पर ज़न्नत ले आएँ।

करुणा बोएँ, खुशियाँ काटें,
मुस्कानों से धरती पाटें।
बीच बज़ार खड़े चौराहे
बुला-बुला अपनापन बाँटे।
नीले नीले अम्बर में से,
तारों की एक खेप चुराएँ।
आओ मिलकर गीत बनाएँ।

अपनों से तो प्रेम करे ही,
गैरों के मन को भी भाएँ।
ऊंच नीच का भेद मिटा दे,
ऐसी भाषा में बतियाएँ।
सदियों तक जो याद रहे,
करतब कोई ऐसा कर जाएँ।
आओ मिलकर गीत बनाएँ।

बग़ियाँ फूलों से महकाएँ,
खेतों में फसलें लहराएँ।
धर्मों की दीवारें लाँघें,
मानुष की भाषा में गाएँ।
सूरज प्रेम किरण बरसाएँ,
ऐसी कोई सुबह दिखाएँ।
आओ मिलकर गीत बनाएँ।

कोई आँख न आँसू आएँ,
हर चेहरा खिलता ही पाएँ।
देहों का रंग एक बने,
मिट जाएँ युद्धों के साये।
डगर डगर पर कोयल बोले,
हर द्वारे पर दीप जलाएँ।
आओ मिलकर गीत बनाएँ।

चेहरा बस तेरा ही पाएँ

तारे सुबह सवेरे आए,
गा भैरवी, मुझे जगाए।
अलसायी आँखें खोलूँ तो,
चेहरा बस तेरा ही पाऐ।
ऐसे मेरे भाग्य कहाँ हैं ॥

भरी दुपहरी भू तपती हो,
साँय-साँय जब लू चलती हो।
गलियों में सन्नाटा पसरा,
आँखें भी अग्नि सहती हो ॥

खट-खट हो, दरवाज़ा खोलूँ,
बाहर खड़ी हो तू शरमाये।
ऐसे मेरे भाग्य कहाँ हैं ॥

हर तरफ़ बसे अन्धेरे हों,
चिन्ताएँ मन को घेरे हों।
हर पल लगता हो बोझिल,
खटपट साँझ सवेरे हो ॥

ऐसे बस उदास मन बैठे,
बरबस एक हँसी आ जाए।
ऐसे मेरे भाग्य कहाँ हैं ॥

कँटीले झाड़ों का जंगल हो,
घुटनों-घुटनों तक दलदल हो।
साँसें डरी-डरी सी निकलें,
मरे-मरे ऐसा हर पल हो ॥

भय की इस संकट वेला में,
डगर दिखे एक दाएँ-बाएँ।
ऐसे मेरे भाग्य कहाँ हैं ॥

मन अन्दर-अन्दर टूटा हो,
साथी हो दुःख, सुख छूटा हो।
रिसते हुए गरल भावों को,
दोनों हाथों से लूटा हो ॥

सन्नाटे की इस किच-किच में,
कोई परिणय गीत सुनाये।
ऐसे मेरे भाग्य कहाँ हैं ॥

नचिकेता मुझसे बात करे,
और गौतम भी संवाद करे।
सभा पटल पर बहसें हों,
वैदेह मुझको याद करे ॥

मुझको भी शामिल कर ले,
जब ऋषि सामवेद को गाये।
ऐसे मेरे भाग्य कहाँ हैं ॥

जीवन रण में जब हारा हो,
सारे जग ने दुत्कारा हो।
अनजाने डर से घिरा हुआ,
सब कहे अरे! बेचारा वो ॥

ऐसे पल में ढाँढ़स देने,
कोई मेरी माँ को लाए।
ऐसे मेरे भाग्य कहाँ हैं ॥

आता सावन, जाता सावन

आता सावन, जाता सावन,
सबको है लुभाता सावन।

बूँदें मोती बनकर बरसें,
पिय देखन को हिवड़ा तरसे,
साँसें भारी नैना व्याकुल,
पाँवों की गति हो ढुलमुल,

सब को आस दिलाता सावन,
आता सावन जाता सावन ॥

कड़वी बोली मीठी लागे,
रोके रोके मनवा भागे।
पीहू-पीहू जब कंगना बोले,
गोरी घूँघट पीछे हो ले,

पिय की हूक उठाता सावन
आता सावन जाता सावन ॥

यादें चिड़िया बन उड़ जाएँ,
बैठ मुंडेर हमें सताएँ,
बिरही पच्छिम को ताके,
सीपें हँसती बूँदें पा के,

हँसता और रुलाता सावन,
आता सावन, जाता सावन ॥

प्रियसी बदली बनके भटके,
नैनों से अश्रुजल टपके,
प्रिय आगत की चाह सँजोए,
स्वप्निल याद लिए वो सोए,

सोमरस बरसाता सावन।
आता सावन, जाता सावन ॥

नभ से अमृत टप-टप बरसे,
चातक स्वाती बूँद को तरसे,
गली चौबारे खेत बग़ीचे,
भीगा-भीगा कर वो हरषे,

राग मल्हार गाता सावन
आता सावन जाता सावन ॥

झूला झूले बड़-बड़ बोले,
गुड्डा-गुड्डी खेले सतोले,
आँगन-आँगन रिमझिम-रिमझिम,
पुरवइया हो होले होले,

सबको है रिझाता सावन,
आता सावन, जाता सावन ॥

बंसुरिया से खिंच-खिंच आएँ,
भीगे-भीगे नाचें गाएँ,
किशना से राधा मिल जाएँ,
वृन्दावन में रास रचाए,

सावन से शरमाता सावन,
आता सावन, जाता सावन

कह दो, यह भी बात रहेगी

कह दो, यह भी बात रहेगी,
शब्दों से मुलाक़ात रहेगी।
दिल की बात जुबाँ पर ला दो,
देह कब तक साथ रहेगी।

जीवन जीते काहे अकेले,
आओ बैठें चौसर खेलें।
संगी साथी पास पड़ोसी,
मिलते-बिछुड़े जैसे मेले।

पूरे मन से दाँव लगा दो
शह होगी या मात रहेगी।
कह दो यह भी बात रहेगी ॥

डरे जगत् से, मुँह मत खोलो,
नैनों की भाषा तो बोलो।
प्रणय नहीं ऐहिक बातें तो
कह, कानों में अमृत घोलो ।

होठों को चाहे तुम सी दो
दिल में तो बरसात रहेगी।
कह दो, यह भी बात रहेगी ॥

आओ हम एक ग़ज़ल बनाएँ

आओ हम एक ग़ज़ल बनाएँ,
शब्दों का एक जाल रचाएँ।
मिलते जुलते चलते-फिरते,
ख़ुद बाँचें ख़ुद को सुनाएँ।
आओ हम एक ग़ज़ल बनाएँ ॥

दुःख का साथी कोई होता,
अपनी उदासी कोई धोता।
बाहर हर दिन दिवाली है,
निमिष-निमिष दिल अन्दर रोता।

घुट-घुट जीते साँझ सवेरे;
निज घावों को ख़ुद सहलाएँ।
आओ हम एक ग़ज़ल बनाएँ ॥

किसकी बातें याद करें हम,
कितनी बार जिएँ मरें हम।
झूठ फरेब के जंगल में,
तुलसीदल का रूप धरें हम।

पल पल में बदले हैं चेहरे,
किसको छोड़ें किसे रिझाएँ।
आओ हम एक ग़ज़ल बनाएँ ॥

जीवन यूँ ही निकला जाता
अन्तिम प्रवास की याद दिलाता।
सपने सच हो जाने पर,
खालीपन का भान कराता।

थके-थके अनमने भाव से,
दूर अकेला निकला जाएँ।
आओ हम एक ग़ज़ल बनाएँ,
शब्दों का एक जाल रचाएँ ॥

जाने मन अब क्यों उदास है

जाने मन अब क्यों उदास है
प्रियतम तो बस आसपास है।

जब भी तेरी याद सताए,
आँखों में पानी भर आए।
जिसको देखूँ इन नयनों से,
तेरी ही सूरत दिख जाऐ।

सबको चाहे प्यार करूँ मैं,
तेरी चाह तो खास-खास है।
जाने मन अब क्यों उदास है ॥

जग जागे तब हम सोते हैं,
हँसें सभी तब हम रोते हैं।
सब गाते हैं प्रणय गीत तब,
विरही कवि तो हम होते हैं।

चाहे जो तुम मुझे पिला दो,
मेरी तो अनबुझी प्यास है।
जाने मन अब क्यों उदास है ॥

उसको हम सपनों में पाएँ,
या अपने भीतर ही जाएँ।
जब भी याद करें हम दिल से,
मिल जाएँ तब वो शरमाएँ।

यादों को कैसे उजाड़ दूँ,
उसमें तो सपनों का वास है।
जाने मन अब क्यों उदास है।
प्रियतम तो बस आसपास है॥

तारे तोड़ सूर्य पर मंडकर

पिटते-पिटते मात बना दी,
शिवजी की बारात बना दी।

हमने धीरे से कुछ कहकर,
सदियों तक की बात बना दी।

तारे तोड़ सूर्य पर मंडकर,
दिन में ही एक रात बना दी।

खिला-खिला बेर शबरी के,
सबकी मानुष जात बना दी।

जोड़-जोड़ प्रणय की बूँदें,
बादल से बरसात बना दी।

इधर-उधर सब मारे फिरते,
गीतों की हवालात बना दी।

सपने भी मिलजुल कर देखे,
ऐसी एक हालात बना दी।

कुछ तो पुराने जख्म ही भर दो

कुछ तो पुराने जख़्म ही भर दो,
कुछ तुम नूतन घाव ही दे दो,
कुछ तो कँटीली धूप भी दे दो,
कुछ तुम ठंडी छाँव ही दे दो।

व्यस्त समय में कुछ पल दो,
प्यासे होठों को कुछ जल दो,
दर-दर भटके तेरी चाह में,
विरह अगन पर जल शीतल दो।

चाह की नदियाँ पार लगाने,
यादों की एक नाँव ही दे दो।
कुछ तुम नूतन छाव ही दे दो।

कुछ तुम बोलें कुछ हम बोले,
यादों की गाँठें ही खोलें,
गुमसुम कब तक बैठे हैं,
कुछ तो हँस लें और कुछ रो लें।

भागे फिरते थे हम सदियों,
अब कुछ पल ठहराव ही दे दो।
कुछ तुम नूतन छाव ही दे दो।

धन-दौलत की इस नगरी में,
पाप-पुण्य की इस गगरी में,
मुझको अंगुल ठिकाव ही दे दो,
सपने भर दो इस गठरी में।

तुम तो महानगर को रख लो,
मुझको छोटा गाँव ही दे दो।
कुछ तो पुराने जख्म ही भर दो,
कुछ तुम नूतन छाव ही दे दो।

तुमको मै कैसे समझाऊँ

तुमको मैं कैसे समझाऊँ,
कैसे मैं अब गीत बनाऊँ।

रसिक गुणी तो चले गए हैं,
पीछे छोड़ गए हैं बातें।

गीत-ग़ज़ल तो हवा हुए हैं,
बचे हुए बेनामी खाते।

पत्थर दिल इनसानों में,
किसको मैं यह गीत सुनाऊँ।
तुमको मैं कैसे समझाऊँ।

सुबह शाम ये दौड़े भागे,
सभी कमाई करने लागे।

हर पल रुपयों को गिनते,
कब ये सोए, कब ये जागे।

खुद में खोयी सारी बस्ती,
अपनी बातें किसे बताऊँ।
तुमको मैं कैसे समझाऊँ।

सबको अपनी पड़ी हुई है,
आँखें धन में गड़ी हुई हैं।

अहंकार निज स्वार्थ में डूबे,
अभिलाषाएँ बड़ी हुई हैं।

घर की मर्यादायें टूटीं,
यह घर छोड़ कहाँ अब जाऊँ।

तुमको मैं कैसे समझाऊँ,
कैसे मैं अब गीत बनाऊँ।

मेरे सपनों को चुरा लो

मेरे सपनों को चुरा लो,
मेरे दोस्तों को आजमा लो।
ये मेरे किस काम के॥

मैं अँधेरों का आदी हूँ,
मेरे दीपों को जला लो।
ये मेरे किस काम के॥

गलियों में आवारा फिरते,
उनको तुम सर पर बैठा लो।
ये मेरे किस काम के॥

गली मोड़ पर छोड़ गये जो,
उनको यादों से हटा लो।
ये मेरे किस काम के॥

मेघा आये, मेघा आये

मेघा आये, मेघा आए,
बच्चे गलियों में चिल्लाए।
घुमड़-घुमड़ कर आशा देते,
बिन बरसे ही लौटे जाए।

कोयल बोले मयूरा नाचे,
पपीहा मेघदूत को बाँचे।
कोंपल फूटे टहनी टूटे,
भँवरा रस पराग को लूटे।

शीतल मन्द बयार बहे और,
चातक घन की आस लगाये।
मेघा आए, मेघा आए ॥

नई नवेली सजी सँवरी सी,
प्रियतम की राहों को ताके।
गृहिणी सन्तोषी बन बैठी,
घरवालों को अन्दर ला के।

प्रणय गीत गुनगुना रहे सब,
गीत मल्हार गुणीजन गाए।
मेघा आये, मेघा आए ॥

रिमझिम-रिमझिम बारिश बरसे,
बूँदें मुँह सीपों के तरसे।
बचपन काग़ज नाव चलाए,
रसिक मिलन के गीत बनाए।

पिय-आगत की आस लिए,
यौवन मन्द-मन्द मुसकाए।
मेघा आए, मेघा आए,
बच्चे गलियों में चिल्लाए ॥

हमको हैं समझाते लोग

हमको हैं समझाते लोग
सब्ज़ बाग़ दिखाते लोग।
दरवाज़े खिड़की तो बन्द हैं,
जाने कहाँ से आते लोग ॥

मन्दिर की लाइन में लगते,
पान चबाते गुटखा रखते।
किरकिटिया रोग से पीड़ित,
मोबाइल पर बातें करते।

कम्प्यूटर पर आँख गड़ाते,
रात, भैरवी गाते लोग।
हमको हैं समझाते लोग ॥

चूहों की सी शक्ल बनाए,
साँपों से बिन पाँवों आऐ।
आँखों में लालच-भय है,
शंकालू से नज़र बचाए।

मेजों के नीचे से देखा,
हाथों को सरकाते लोग।
हमको हैं समझाते लोग ॥

सर्राफ़ों सा रूप धरे,
सब्ज़ी का व्यापार करे।
धोखे का काजल डाले,
सच से आँखें चार करे।

बिना रीढ़ की हड्डी वाले,
बातों में गुर्राते लोग।
हमको हैं समझाते लोग ॥

शहद में लिपटा ज़हर है

अक्ल की बहुतायत है जहाँ,
और थोड़ा कम ज़िगर है।
वही एक महानगर है ॥

जहाँ है भीड़ मकानों की,
नहीं रहने को घर है।
वही एक महानगर है ॥

दूर क्षितिज तक दिखती कारें,
मानुष नहीं आता नज़र है।
वही एक महानगर है ॥

ज हाँ धूप नहीं, बिजली है,
जिसकी रातें एक सहर है।
वही एक महानगर है ॥

चकाचौंध से घायल कर दे,
शहद में लिपटा ज़हर है।
वही एक महानगर है ॥

हमने तो एक बात कही थी

हमने ते एक बात कही थी,
तुम उसको दिल पर ले बैठे।

हम तो तुम से हँस कर बोले,
तुम जाने किस बात पर ऐंठे।

हम तो झुककर माफी माँगे,
तुमने फिर भी कान उमेठे।

हम तो एक पाँव पर नाचे,
तुम शाही बिस्तर पर लेटे।

हम जेबें खाली कर खुश हैं,
तुम डॉलर दिल में हो समेटे।

जो चल गया, वो सोना है

जो चल गया वो सोना है,
बाकी को तो बस रोना है।

हर तरफ खामोशी भयभीत करती है,
ऐसा लगता है यहाँ कुछ होना है।

सफलताएँ सब हमारे कदम चूमेंगी,
हमें तो केवल बस ज़मीर खोना है।

चलो अब अमीरों की महफ़िल में,
इस बस्ती में तो रोना-धोना है।

कन्धे कितने ही कमज़ोर हों हमारे,
अपने पापों को हमें ही ढोना है।

हमने देखा चाँद शरमाते हुए,

हमने देखा चाँद शरमाते हुए
और सितारों को इठलाते हुए।

हर तरफ रूमानियत छाई हुई,
तुम भी देखो आते जाते हुए।

हम तुम्हारी चाह क्या बयाँ करें,
यह जलजला है भड़भड़ाते हुए।

इसको देखा उसको भी देखा,
मिला न तुमसा लजाते हुए।

हमने देखीं प्रेम की ऊँचाइयाँ,
बदली को पर्वत सहलाते हुए।

मीराँ जैसी प्रीत कहाँ है

मीराँ जैसी प्रीत कहाँ है,
रजवाड़ों सी रीत कहाँ है।

सब के सन्तापों को हर ले,
ऐसा कोई गीत कहाँ है।

मुर्दों में जो प्राण फूँक दे,
ऐसा फिर संगीत कहाँ है।

पाप करे तो नर्क मिलेगा,
ऐसा कोई भयभीत कहाँ है।

पराजितों को गले लगा ले,
ऐसी कोई जीत कहाँ है।

दुनिया में प्रियतम बहुतेरे,
राजकुँवर सा मीत कहाँ है।

गर्मियों में फ़लक पर बादल ढूँढ़ता है

गर्मियों में फ़लक पर बादल ढूँढ़ता है,
मकबरे में यह बौड़म हलचल ढूँढ़ता है।

तेरे नूर का दीवाना है यह शायर,
तुझे हर घड़ी हर पल ढूँढ़ता है।

मिला है किसी को न मुझको मिलेगा,
पर शहंशाहे मन एक ताजमहल ढूँढ़ता है।

हँसेगा ज़माना मेरे दीवानेपन पर कभी,
हुकूमत की गलियों में ग़ज़ल ढूँढ़ता है।

जिसके बिना पर जिंदगी सतरंगी बनी थी,
खोयी हुई वो नादानियाँ आजकल ढूँढ़ता है।

छुप गयी है जो नकाबों के पीछे,
ख़ुदा ने बनायी वो शक्ल ढूँढ़ता है।

बाज़ारीकरण ने जहाँ को कैसा बना दिया,
असल को भूला आदमी नक़ल ढूँढ़ता है।

मुझे समझाया समझदारों ने अब खुदा को,
अक्लमंद नहीं बस एक पागल ढूँढ़ता है।

जो आता है उसे आने दो

जो आता है उसे आने दो,
अपना दुःख-दर्द सुनाने दो।

यहाँ नीरो का दरबार नहीं,
यहाँ नाज़ी की सरकार नहीं।
यहाँ प्रजातंत्र का शासन है,
यहाँ ऋषि मुनियों का आसन है।

दरबारी राग को छेड़ो मत,
यहाँ गीत होलियाँ गाने दो।
जो आता है उसे आने दो ॥

यहाँ कपड़े पहने गणवेश नहीं,
रणभेदी से सन्देश नहीं।
यहाँ कोयल कूके जी भरके,
काले कौओं का देश नहीं।

सदियों से बेड़ी बाँध पड़े,
उनको खोलो और जाने दो।
जो आता है उसे आने दो ॥

यहाँ ईंटों की दीवार नहीं,
यहाँ सीढ़ी की भरमार नहीं।
यहाँ खुला खजाना मिलता है,
यहाँ तालों की दरकार नहीं।

खुली हवा में बैठे हैं,
सबको गुहार लगाने दो।
जो आता है उसे आने दो ॥

आईने में शक्ल धुँधली आती नजर है यह,

आईने में शक्ल धुँधली आती नज़र है यह
साफ करते दम है निकला, किसका असर है यह।

आदमी के ज़हन में अलहेदगी जमा दी हैं,
साँप और बिच्छू में अनबन, किसका जहर है यह।

आँधियों को छोड़, फूँक से उड़ जाये जो,
ताश के पत्तों से बना, किसका घर है यह।

शरीफों की बस्ती में ऐय्यारों की ठकुराइत चले,
कैसी बदनीयती के दिन हैं, किसका कहर है यह।

हर तरफ कातिल हुकूमत पर काबिज है,
कैसी बेहयायी और किसका शहर है यह।

गजलों में ही ज़िक्र गैरों का ये कैसी नादानी है

ग़ज़लों में ही ज़िक्र गैरों का ये कैसी नादानी है,
मैं नहीं और तू नहीं जहाँ, वो कैसी कहानी है।

पहाड़ों को गिरा दे और समुन्दर को सुखा दे,
जो ऐसा सोच भी न पाए, वो कैसी जवानी है।

बुझ-बुझ कर के जो धुआँ ही नज़र आए,
शोलों से जो न दहके, वो कैसी रवानी है।

गुमनाम से अँधेरों में पड़े डर कर रोशनी से,
भीड़ के हिस्से बने जो, वो कैसी ज़िन्दगानी है।

जिसने इस गाँव में खोदी ज़मीं और हल चलाए,
बस उसकी हो बात शायर, बाक़ी तो सैलानी है।

अगर जख्मे-दिल के शेरों ने ख़ता की होगी

अगर ज़ख्मे-दिल के शेरों ने .खता की होगी,
मेरे बुतपरस्त के ग़ज़लों ने बता दी होगी।

मैं ख़ुदा की इबादत में मशगूल था दिन भर,
इश्के-हक़ीक़ी की ताज़ीर उसने पता की होगी।

मैंने तो आशिकी दिल में छुपा रखी थी,
तुमने तो हक़ीक़त जहाँ को जता दी होगी।

वो आए घर और बैठ कर चुपचाप चल दिए,
वो आज़ीज़ी से भरे थे मैंने अशिष्टता की होगी।

उसके न मिलने का अफ़सोस क्या करे शायर,
वो राजी था मेरे ही गुनाहों ने धता दी होगी।

सौ बार बनता बिगड़ता हूँ,

सो बार बनता बिगड़ता हूँ
तुझको बताने से डरता हूँ।

खयालों में हवाई सपने हैं,
बैलगाड़ी में सफर करता हूँ।

हक़ीकत को तुझसे छुपाने को,
चेहरा मैं हर रोज़ बदलता हूँ।

तुम्हारी निगाहों से सहमा हुआ,
हर दिन साँचे में ढलता हूँ।

सब हार करके बैठे हैं,
मैं केवल तुम्हीं से बहलता हूँ।

इसे हम देख लेंगे, उसे तुम जान लेना

इसे हम देख लेंगे, उसे तुम जान लेना,
जो लिहाफों में दुबका हो, उसे पहचान लेना।

दुनियावाले सब तरफ, कुछ भी कहें लेकिन,
जो आवाज़ अन्दर से उठे, तुम मान लेना।

हर तरफ़ हो शोर, आओ लड़ मरें हम,
छोड़ कर उनकी पुकार, रजाई तुम तान लेना।

जिसे सारे जहाँ ने ठुकराया और लतीफ़े कसे,
उसे पुचकारना, सहलाना और कुछ तुम दान देना।

हर तरफ लोग तुमको देंगे सलाहों का जखीरा,
अमनपसंदों का ही बस तुम एहसान लेना।

तेरे पैरों की छम-छम से अन्दर तक सहमता हूँ

तेरे पैरों की छम-छम से अन्दर तक सहमता हूँ,
क्या कहूँ किससे कहूँ, किस-किस से डरता हूँ।

दूर से सुनता हूँ मैं जब तेरी खनखनी बातें,
झनझना जाता हूँ मैं, गिर-गिर के सम्भलता हूँ।

तेरे रू-ब-रू होने से अब तक उबर नहीं पाया,
फिर से जी भर देखने तुझे, दरदर भटकता हूँ।

तू है बेखबर, तेरी नज़रें कहीं और हैं,
तू न जाने तेरी ख़ातिर, किस-किस को सहता हूँ।

जुनूने-हक़ीक़ी ने शायर मुझको तो मार ही डाला,
आ आ के होश में, फिर-फिर बहकता हूँ।

ज़िन्दगी यूँ ही बस एक बहती कहानी है

ज़िन्दगी यूँ ही बस एक बहती कहानी है,
प्रजा है, मन्त्री है, राजा है, रानी है।

खेत है, खलिहान है, गलियाँ हैं, चौबारे हैं,
धूप है, छाँव है, आग है, पानी है।

बन्धु है, बान्धव है, संगी है, साथी है,
है सब कुछ मायावी हाथ नहीं आनी है।

प्रेम है, घृणा है, विश्वास है, धोखा है,
छोड़ेंगे सब यहाँ, यादें ही रह जानी हैं।

खेल है, व्यापार है, चाकरी है, लड़ाई है,
कहीं जीतना है और कहीं चोट खानी है।

दुःख दर्द समझने का जज़्बात हमें दे दो

दुःख-दर्द समझने का जज़्बात हमें दे दो,
फूल-फूल तुम रखो, पात हमें दे दो।

बहस की कोई गुंजाइश नहीं है अब,
तोड़ लाओ तारे या हाथ हमें दे दो।

बहाना भी अँधेरे का न चल पाएगा,
सुबह तुम ले लो और रात हमें दे दो।

बहुत शोर सुनते हैं तेरी रुबाइयों का हम,
रुबाई तुम रख लो एक बात हमें दे दो।

बहुत देर तक अकेला न चल पाऊँगा मैं,
हो सके तो सफ़र में साथ हमें दे दो।

इस लड़ाई के लिए फ़ौजें न हमको चाहिए,
दे सको तो शिव की बारात हमें दे दो।

चेहरा अपना आँसुओं से धोया हूँ मैं

चेहरा अपना आँसुओं से धोया हूँ मैं
दुखों को अपने चित्त में सँजोया हूँ मैं।

पूरी रात कटी मेरी फ़िकरमन्द आँखों में,
सुबह होने पर ही सोया हूँ मैं।

तेरी हर बात ने दिल को चोट पहुँचायी,
जाने किस बात पर रोया हूँ मैं।

छोंड़ कर मुझको अकेले में चली तुम,
तुझे क्या मालूम क्या खोया हूँ मैं।

फूलों को छोड़ कलियों को भुलाकर के,
ख़्वाहिशों को धागे में पिरोया हूँ मैं।

कहने को तो कुछ नहीं कह पाया हूँ,
आँसुओं से कलेजे को भिगोया हूँ मैं।

तुम्हारी महफ़िल में आने की दावत ही दे दो

तुम्हारी महफ़िल में आने की दावत ही दे दो,
ग़म दे चुके बहुत अब मुहब्बत ही दे दो।

मर ही चुके हैं तेरी दिवानगी में हम,
दो-चार लम्हे जीने की मोहलत ही दे दो।

परवरदिगार से माँगता बेबाक हूँ मैं,
तुमको मुहब्बत और मुझे ज़िल्लत ही दे दो।

माना कि मुँह से खुदा कहना गुनाह है,
पैरों को मसज़िद जाने की आदत ही दे दो।

कुछ न दे सको तुम खुशी से चाहे मुझे,
जहर पीने की केवल इज़ाज़त ही दे दो।

होंठ अधखुले रह जाते

होंठ अधखुले रह जाते,
मीठी बातें कब कह पाते।

कलमें सूखी पड़ी हुई हैं,
प्रणय गीत कहाँ बह पाते।

शब्द गीत-ग़ज़लों में गुँथकर,
अपनी-अपनी जगह बनाते।

नदियों के यौवन उफ़ान से,
साहिल के सब घर ढह जाते।

प्रियतम को हियड़े में बसाये,
जग के शब्द-बाण सह जाते।

खनखनी सी हँसी अब आती नहीं है

खनखनी सी हँसी अब आती नहीं है,
क्या करें शिकन वो जाती नहीं है।

घूमे इस छोर से उस छोर तक हम,
बाँट ले दुःख ऐसा कोई साथी नहीं है।

उम्र भर लड़ते रहे हम अँधेरों से,
रोशनी किससे करें कोई बाती नहीं है।

ख़्वाब देख-देख कर नींद उम्र भर खोयी,
याद क्या करे अब वो सताती नहीं है।

दौड़ते हैं सब यहाँ कुबेर का पकड़ने रथ,
हारे हुए को अब ज़िन्दगी मनाती नहीं है।

रुके-रुके बौरा गये, अब बहना चाहिए

रुके-रुके बौरा गये, अब बहना चाहिए,
जुबानें कटी हैं सबकी, कुछ कहना चाहिए।

काम कर-कर के दोहरे हुए हैं हम,
अब तो जी भर कर हमें आराम करना चाहिए।

सुन न ले कोई ऐसा खौफ़ फैला है,
क्या हमें हर बात पर अब डरना चाहिए।

इश्तिहार दे देकर सबको बता दो तुम,
किस बात पर लड़े किसको सहना चाहिए।

जिसके लिए हम मर-मर कर जिए हैं,
वो भी कहे कि हमें अब मरना चाहिए।

बहुत हो चुकी इस महफ़िल में ज़िल्लत हमारी,
सुन मेरे दिल सँभल, हमें अब चलना चाहिए।

एक मन मेरा एक मन तेरा

एक मन मेरा एक मन तेरा,
एक है साँझ और एक सवेरा।

एक तो खुली हवा का आदी,
एक पर है नियमों का घेरा।

एक ने अलग अलख जगायी,
एक पुराणपन्थों का डेरा।

एक तो बीच बाज़ार में बैठा,
एक देता गलियों में फेरा।

अलग-अलग पर जुड़े हुए हैं,
एक नाचे और एक सपेरा।

अब क्या शह और मात करोगे

अब क्या शह और मात करोगे,
लड़ने के हालात करोगे।

हमने तो सोचा था तुम तो,
हँसकर हमसे बात करोगे।

भला-भला चाहे तुम कर लो,
बुरा-बुरा तो साथ करोगे।

हमने दिल तुमको दे डाला,
अब कैसे आघात करोगे।

कहते-कहते शाम हो गयी,
अब भला क्या रात करोगे।

गले हो गये सूखे नाले
अब तुम कब बरसात करोगे।

बातचीत से तुम न माने,
अब क्या दो-दो हाथ करोगे।

अगड़ा छोड़ एक पिछड़ा ले लूँ

अगड़ा छोड़ एक पिछड़ा ले लूँ,
अमन छोड़ एक पचड़ा ले लूँ।

तेरे सुन्दर गीतों में से,
कह दो तो एक मुखड़ा ले लूँ।

परियों की इस परीकथा से,
कह दो तो एक दुःखड़ा ले लूँ।

तेरे सुन्दर सपनों में से,
कह दो तो एक टुकड़ा ले लूँ।

फूलों की इस सजी मेज से,
कह दो कोना उखड़ा ले लूँ।

बच्चे की माफ़िक अपनों से,
कह दो तो एक झगड़ा ले लूँ।

महावट सी बरसात कहाँ है

महावट सी बरसात कहाँ है,
शरद पूनम की रात कहाँ है।

भरी दोपहरी में सो जाऊँ,
ऐसे तो हालात कहाँ हैं।

प्रियतम पर एक ग़ज़ल बनाऊँ,
ऐसे तो जज़्बात कहाँ हैं।

जो सीधे हियड़े में उतरे,
ऐसी तो बारात कहाँ है।

जो मुझको यम से ले आये,
ऐसा कोई साथ कहाँ है।

जो सबके दिल में बस जाये,
ऐसी कोई बात कहाँ है।

जो केवल देना ही जाने,
ऐसा कोई हाथ कहाँ है।।

ग़ज़लें सुनकर वो यह कहते, वाह! क्या बात है

ग़ज़लें सुनकर वो यह कहते, वाह! क्या बात है,
फब्तियाँ सबकी वो सहते, वाह! क्या बात है।

बसे बसाये घरों को बेचकर बैठे हैं वो,
अब दरख़्तों पर हैं रहते, वाह! क्या बात है।

समझदारों में जहाँ में नाम है इनका बहुत,
फिर भी जज़्बातों में बहते, वाह! क्या बात है।

उफनती नदियों के किनारे घर बनाये आपने,
पूछते हैं क्यों ये ढहते, वाह! क्या बात है।

रात तो काटी इन्होंने शहर के मयकदों में,
सुबह को ये फिर भटकते, वाह! क्या बात है।

काँच के तख़्तेशाही हर तरफ़ घर-घर में है

काँच के तख़्तेशाही हर तरफ़ घर-घर में है,
देखते हैं ज़ोर कितना, अब तेरे पत्थर में है।

बच न पाएगा कोई अब तो कत्लेआम से,
क़ातिलों का एक जमघट, अब तेरे शहर में है।

खड़े हैं बेचैन से साहिल पर हम रात भर,
दिलबस्त की किश्ती अभी, फ़ँसी एक भँवर में है।

रोक ले तू भूख को कुछ और बरसों के लिए,
क्रान्तियाँ हैं चल पड़ीं, पर अभी सफर में हैं।

शहर भर में एक धुआँ हर तरफ़ पसरा पड़ा है,
कौन जाने शायर, ये आग किस के घर में है।

पैर यह चलते नहीं, हम क्या करें

पैर यह चलते नहीं, हम क्या करें,
दीप यह जलते नहीं, हम क्या करें।

हमने तो आवाज़ दी मीनार पर चढ़ कर,
लोग हैं सुनते नहीं, हम क्या करें।

हमने तो धो-माँज़ कर इनको रखा है,
साज यह बजते नहीं, हम क्या करें।

खूब हैं टाँगे हुए तमगे कमीज़ों पर,
शूर यह लगते नहीं, हम क्या करें।

होंठ को सी-सी कर चुपचाप बैठे हैं,
राज़ यह छुपते नहीं, हम क्या करें।

जो होता है उसे होने दो

जो होता है, उसे होने दो,
जो खोता है, उसे खोने दो।

बैठे-बैठे रात कट गयी,
अब तो हमको सोने दो।

झूठे हँसते हम तो थक गए,
अब तो हमको रोने दो।

सारा बचपन भूख में बीता,
अब तो पातल दौने दो।

बेगारी ली कुछ न दिया,
अब तो आधे पौने दो।

कोलाहल से जी भरपाया,
अब तो गीत सलोने दो।

हम भी अपने घर को जाएँ

हम भी अपने घर को जाएँ
जैसे लौट परिन्दे आए।

कटी जवानी परदेसों में,
अब तो घर की याद सताए।

हम तो घर की रोटी भूले,
रुपये चाहे बहुत कमाए।

घर परिवार सभी को छोड़ा,
हमने नाहक बरस गँवाए।

दीवाली की खुशियाँ छूटीं,
कौन हमें होलिया सुनाए।

अब परदेस में दिल ना माने,
अब सपनों में देस रुलाए।

यह शहर तो पूरी तरह वीरान है दोस्तो

यह शहर तो पूरी तरह वीरान है दोस्तो,
एक शिकारी की तरह, सख्तजान है दोस्तो।

भीड़ है; पर मौन है, यह बोलती नहीं,
यह अजनबियों की टीम का, कप्तान है दोस्तो।

हर रोज़ नये सपने, यहाँ चूर होते हैं,
यह शहर भी बरबादियों की पहचान है दोस्तो।

ग़रीबों के फुटपाथिया जीवन से भरा है यह,
यह शहर तो देश की झूठी शान है दोस्तो।

नदी, नाले, पेड़, पर्वत, गाँव और खेतों के बीच,
यह शहर तो लगता मेहमान है दोस्तो।

जिस दिन कोई घर न आए

जिस दिन कोई घर न आए,
ऐसा कोई इतवार दे दो।

जो पूरे महीने चल जाए,
ऐसी कोई पगार दे दो।

जिसको सब मन से भाए,
ऐसी कोई सरकार दे दो।

जिसको पढ़कर मन हर्षित हो,
ऐसा कोई अखबार दे दो।

जिसको सुन सत्ता हिल जाए,
ऐसी कोई पुकार दे दो।

मुझको अपने पथ की याद दिलाती है

मुझको अपने पथ की याद दिलाती है,
यह सीधी सड़क दूर तक कहाँ जाती है।

साँझ की इस वेला में यूँ तों सन्नाटा है,
कौन है जो धीरे-धीरे गुनगुनाती है।

दूर तक छाया हुआ घनघोर अँधेरा है,
तारों की रोशनी इसमें राह दिखाती है।

ट्रकों की पंक्तियों में एक कार की तरह,
मुझे ज़िन्दा होने का एहसास कराती है।

छोड़ चले यूँ तो हम शहर अपना पीछे,
सड़क आने वाले शहर की आस बँधाती है।

जब-जब तुमने ख़्वाब दिखाए

जब-जब तुमने ख़्वाब दिखाए,
हम हँस कर दौड़े चले आए।

तुम तो राज़ छुपा कर बैठे,
हम तो सारी बात बताए।

तुम जा माँ की गोदी बैठे,
हम तो सोए शेर जगाए।

तुम जा विद्रोही बन बैठे,
हम तो नाते रिश्ते निभाए।

तुम तो राजतिलक कर बैठे,
हम तो सारे जग के सताए।

उसको न पूछो कौन है वो

उसको न पूछो कौन है वो,
ठहरा हुआ एक मौन है वो।

हर राख में जो चिंगारी ढूँढ़े,
एक अजब सा दृष्टिकोण है वो।

हर प्यार में बाधा बने जो,
फ़िल्मी कथाओं का त्रिकोण है वो।

फ़ाकामस्ती में उसका नाम है ऊँचा,
अमीरज़ादों की पंक्ति में गौण है वो।

अजीब मस्ती आँखों में छाई है,
फ़क़ीरों की बस्ती का पौन है वो।

हम तो फिर घबराने वाले हैं

हम तो फिर घबराने वाले हैं,
सुना है कि वो आने वाले हैं।

चोरी करके वो भाग गए हैं,
हमको फिर फ़ँसाने वाले हैं।

सुना है शहर में गोलियाँ चली हैं,
हम यहाँ से बस जाने वाले हैं।

बोलने पर यारों रोक लगी है,
हम मुँह में दही जमाने वाले हैं।

उन्होंने फिर हमें धोखा दिया है,
हम गाँठ के रुपये गँवाने वाले हैं।

जाने कब फिर याद करोगे

जाने कब फिर याद करोगे,
मिलने की फरियाद करोगे।

सुना-सुना गाथायें जग की,
फिर तुम दिन बरबाद करोगे।

बहुत दिनों से ठाले बैठे,
अब तुम फिर उत्पात करोगे।

मजबूरी की आदत पड़ गई,
अब तुम क्या आज़ाद करोगे।

और सभी तो है कर डाला,
क्या सुमिरन सबसे बाद करोगे।

जाने क्या रात भर वादे हुए

जाने क्या रात भर वादे हुए
हमने देखा भोर शरमाते हुए।

जाने कहाँ से रोशनी आती है ये,
हमने देखा चाँदनी जाते हुए।

अब तक ना समझे वो दर्द मेरा,
रात कट गयी पूरी बताते हुए।

हर दिशा में बारूदें बिछी हुई हैं,
वो मस्त हैं खुद में गुनगुनाते हुए।

वो किनारे पर तड़पता मर गया,
कारवाँ गुज़र गया है गाते हुए।

हमने तो खुशियाँ बाँटी थीं

हमने तो खुशियाँ बाँटी थीं,
उसने दर्द कहाँ ये पाया।

हम नित नूतन काम करें,
उसने राग वही अलपाया।

हम सपने सँजो कर बैठे,
उसने इनको व्यर्थ गँवाया।

हम तो चुप्पी मार कर बैठे,
उसने सारा भेद बताया।

बड़ी-बड़ी बातें करते वो,
फिर भी कोई काम न आया।

बदले हुए हालात में, ज़िद छोड़ दो

बदले हुए हालात में, ज़िद छोड़ दो,
बैठे हैं हवालात में, ज़िद छोड़ दो।

जवाब दूर तक नहीं आते नज़र,
उलझे हुए सवालात में, ज़िद छोड़ दो।

एक दिन न मिले पीने को तो क्या है,
आये हैं बारात में, ज़िद छोड़ दो।

रूढ़ियों को तोड़ने की बात मत कर,
बैठे हैं हम जात में, ज़िद छोड़ दो।

फैसले अब हो न पायेंगे इस तरह कभी,
अड़े सभी बात में, ज़िद छोड़ दो।

दिन में छाई है खामोशी मरघट सी,
तलवारें चलेंगी रात में, ज़िद छोड़ दो।

हर तरफ यह शोर है, वो आ गए

हर तरफ़ यह शोर है, वो आ गए,
दिल में बैठा चोर है, वो आ गए,

रात भर लड़ता रहा मैं अँधेरे से अकेला,
हुई जब भोर है, वो आ गए।

पेंच लड़ने की ख्वाहिश मन में छुपी,
पतंग है न डोर है, वो आ गए,

फैसला सदियों से रुका, अब होने दो,
किसमें कितना ज़ोर है, वो आ गए ॥

हम तो समझे थे कि फरिश्ता आया है,
वो तो कोई और है, वो आ गए ॥

आओ गाँधी-गाँधी खेलें

आओ गाँधी-गाँधी खेलें।
पर पीड़ा को हम भी झेलें ॥

अपना सब कुछ जग को देकर।
प्यार-दुलार सभी का ले लें ॥

सच के दामन को ना छोड़े।
चले डगर हम चाहे अकेले ॥

अहिंसा के बन कर पुजारी।
बन जायें हम भी अलबेले ॥

नीलकण्ठ सा जीवन जीकर।
हम बन जाएँ सच्चे चेले ॥

कितना गहरा राज़ है, हमें बताओ

कितना गहरा राज़ है, हमें बताओ।
किसकी यह आवाज़ है, हमें बताओ ॥

बिना पंख उड़ने को तैयार है।
कैसा यह जाँबाज़ है, हमें बताओ ॥

मुँह से नहीं, आँखों से बोलता है।
किसका यह अन्दाज़ है, हमें बताओ ॥

बजते ही जो रूह छू लेता है।
किसका यह साज़ है, हमें बताओ ॥

जिसको सुनकर मन में तार झनझनाएँ।
किसके यह अल्फाज़ हैं, हमें बताओ ॥

तुम कहो या हम कहें

तुम कहो या हम कहें,
बात तो वैसी रहेगी।
भीग गये या घर बैठे,
बरसात तो वैसी रहेगी।

हर तरफ़ है शोर,
वक़्त के बदलाव का।
हम लड़ें या न लड़ें,
हालात तो वैसी रहेगी।

वर पक्ष और वधू पक्ष,
समकक्ष है इस दौर में।
हम चाहे कितना भी मानें,
बारात तो वैसी रहेगी।

हम भले ही नाराज़ हो,
और हाथ खींसों में रखें।
मौन व्रत धारण रखें पर,
मुलाक़ात तो वैसी रहेगी।

चाँद चाहे आधा निकले, या,
बादल की ओट में हो।
तारों की झिलमिल शिथिल हो,
रात तो वैसी रहेगी।

मुल्क के इतिहास की कैसी घड़ी है

मुल्क के इतिहास की कैसी घड़ी है,
हर तरफ ख़ामोशी सिर पर चढ़ी है।

नाव पूरी टूट कर डूबने को है,
हर शख्स को अपने अस्बाब की पड़ी है।

यह कैसा उलटफेर का माहौल है दोस्तो,
शहर की गली चौड़ी; सड़क संकड़ी है।

कोई किसी की बात से सहमत नहीं है,
हर कबीले की इस वक़्त मूँछ अकड़ी है।

शहर के सब रास्तें बन्द हैं दोस्तो,
जाने कहाँ जाने की उसे हड़बड़ी है।।

बोरसी में घी उँड़ेलो, आँच धीमी पड़ रही है

बोरसी में घी उँड़ेलो, आँच धीमी पड़ रही है,
मोमबत्ती एक अकेली तूफ़ानों से लड़ रही है।

इन दरख़्तों में तो रेशमी कीड़े लगे हैं,
इनकी पत्तियाँ भी लगता है झड़ रही हैं।

इनके जीतने की सम्भावनाएँ क्षीण सी हैं,
ये फ़ौजें तो बिना हथियारों के लड़ रही हैं।

इनके झूठ को पकड़ना भी मुमकिन नहीं है,
ये तो नित नूतन कहानियाँ घड़ रही हैं।

इनको भी हमारे गुट में शामिल कर लो,
ये भी तो हाथों से तितलियाँ पकड़ रही हैं।

मुझे रबिया के गीत का वो अल्फ़ाज़ दे दो

मुझ रबिया के गीत का वो अल्फ़ाज दे दो,
मुझे बुल्लेशाह के गान का वो अन्दाज़ दे दो।

जिसको छेड़ो तो हर तार पर बन्दगी बोले,
मुझे बजता हुआ कबीरा का वो साज़ दे दो।

जिसको सुनकर अनहलक का ही एहसास हो,
मुझे अल्लाह की बख्शी हुई वो आवाज़ दे दो।

मैं ढूँढ़ता रहा हूँ ताउम्र जिस का जवाब,
मेरे रब अपनी हिक़मत का वो राज़ दे दो।

किताबें रँगी पड़ीं जिसकी रहमत के वाकयों से,
मुझे इस रहमत का, मग्नेसुख़न आज दे दो।

यह तो सबने मानी है

यह तो सबने मानी है,
राम कहे सो ज्ञानी है।

अन्दर खाली तालकटोरा,
ऊपर पानी-पानी है।

मृगतृष्णा के मारे हैं हम,
माया आनी जानी है।

हम तो कृपण अधोगति मारे,
वो अभ्युदित दानी है।

हम तो हैं अज्ञ अविवेकी,
वो परिजाता ज्ञानी है।

वो विश्वायन ज्ञानेश्वर है,
उसका ना कोई सानी है।

न ही भूलता है यह, ना पहचानता है यह

न ही भूलता है यह, ना पहचानता है यह
न जाने किस-किस हकीकत को जानता है यह।

जल-जल कर बार-बार बुझती है यह,
न जाने कौन-सा घी आग में डालता है यह।

हर तरफ चर्चा है बाजार में इसके इल्म की,
न जाने कौन-सी कथा को बाँचता है यह।

हर समय यह सोच में डूबा हुआ सा है,
न जाने कौन-से ख्याल को पालता है यह।

क्या चाहता है जिन्दगी से यह ही जाने,
न जाने किस-किस के पीछे भागता है यह।

हर तरफ एक खामोशी छायी हुई है

हर तरफ एक खामोशी छायी हुई है,
कौन अबला जाने किससे सतायी हुई है!

बाग-बगीचे मरघट में तब्दील हो गये,
आग जाने किसने यह लगायी हुई है।

जमीं पर स्वर्ग था यहीं पर कहीं,
यह बात जाने किसकी बतायी हुई है।

चूके कारतूस के खोल है बिखरे यहाँ,
किस बात पर गोलियाँ चलायी हुई है।

दूर तक पानी का नामो निशां नहीं,
जाने यहाँ किसने फसल उगायी हुई है।

मौन भीतर पसरा है, शब्द आता जाता है

साथ देने का वादा यहाँ करते है सब मगर,
वो केवल वक्त है जो वक्त पर वादा निभाता है।

जमाने को छोड़ो भाग्य भी जब रूठ जाता है,
इन्सा अन्त में, खुद को केवल तन्हा पाता है।

शाम सूनी, शिथिल हवाएँ, मन्द रोशनी हुई,
इस उदासी के सबब में, कौन गुनगुनाता है।

बाहर जाये अन्दर आए, किसको कहे किसको सुनाए
मौन भीतर पसरा है, बस शब्द आता जाता है।

इस वक्त को चुपचाप खुद से बतियाते काट ले,
गम बाँट-बाँट अपनों को तू क्यों सताता है।

धूप का टुकड़ा जेब में डाल कर देखो

धूप का टुकड़ा जेब में डाल कर देखो,
बच्ची की हँसी डिबिया में सम्भाल कर देखो।

सपनों को चुराकर किताबों में छुपा लो,
ख्वाहिशों को हकीकत में ढाल कर देखो।

उम्र भर लड़ते रहे हम अपनों से,
बरसों से जमी नफरत निकाल कर देखो।

मशीनी जिन्दगी में पिसते रहे हर दिन,
कभी तो दिल हवा में उछाल कर देखो।

जमाने को सबब देते बुढ़ा गये हो तुम,
कभी खुद के उसूलों को खंगाल कर देखो।

मुझको कोई गीत सुना दे

तारों की झिलमिल नगरी में,
मुझको चंदा से मिलवा दे।
सावन की इस रिमझिम में,
मुझको कोई गीत सुना दे।

आँखों में आ, आ छुप जाए,
जाने क्यों ये मुझे सताए।
आँखें खोलूँ कोई नहीं हैं,
सपनों में, वो फिर फिर आए।

आँखों से साँसों मे बसकर,
कोई मीठा दर्द जगा दे,
मुझको कोई गीत सुना दे।

मनवा बोले मुँह न खोले,
आँखों में बस वो ही डोले।
हर पल रोम रोम में सिहरन,
दिल बैठा जा हौले-हौले।

सपनों के झुरमुट में छुपकर,
रातों मे कोई मुझे सता दे,
मुझको कोई गीत सुना दे।

आँखें तरसे मनवा प्यासा,
कोई दे क्या मुझे दिलासा।
आठों पहर बस उसे पुकारूँ,
वो ही समझे मेरी भाषा।

उसको दिल से कैसे भूलूँ,
मुझको कोई ये समझा दे,
मुझको कोई गीत सुना दे।

अमृतमयी बूँदें अश्क में बदलती हैं

बहुतों को मरते देखा इस बात के पीछे,
सूरज भी निकला नहीं इस रात के पीछे।

लोग गूँगें हो गये बतियाते बतियाते,
न जाने कौन है ऐसी हालात के पीछे।

अमृतमय बूँदें अश्क में बदलती हैं,
न जाने कौन है ऐसी बरसात के पीछे।

फूलों को सहलाने से काटों की चुभन होती है,
न जाने कौन है ऐसी मुलाकात के पीछे।

हर कोई उदासी के गीत गुनगुनाता है,
सब लोग शामिल है इस जज़्बात के पीछे।

शब्द सब बिखरे हुए हैं

क्या कहें किससे कहें,
लोग सब बहरे हुए हैं।

खूब पाटा मलहमी जुँबा से,
घाव पर गहरे हुए हैं।

गीत में कैसे पिरोए,
शब्द सब बिखरे हुए हैं।

कुरेदे यादों के दरख्त,
जख्म फिर हरे हुए हैं।

क्रान्तियाँ इनमें न मिलेगी,
ये विचार ठहरे हुए हैं।

वो जीवट भरा बन्दा जाने कहाँ होगा

झूठ, ज़िल्लत, अक्खड़पन सब कुछ सहा होगा,
फिर किसी की आँख से आँसू बहा होगा।

चोट दर चोट दिल पर खाने के बाद,
फिर किसी ने धीरे से 'उफ्' कहा होगा।

यहाँ तो आँसुओं के सिवा कुछ न मिला,
सितारों के आगे उसका भी जहाँ होगा।

बदलते रिश्तों के इस दौर से आहत हुआ,
प्लेटफार्मी भीड़ में वो भी तन्हा होगा।

मर-मर कर जिसने जिजीविषा जगाई,
वो जीवट भरा बन्दा जाने कहाँ होगा।

क्या-क्या हम जीवन भर बदले

ये घर बदले वो घर बदले,
क्या-क्या हम जीवन भर बदले

आँगन छूटा, गलियाँ छूटी
भाई बिछुड़ें, बहना रूठी।
सब कुछ पीछे छोड़ चुके हम
यादें बची कुछ टूटी फूटी।
सब कुछ बदले, कुछ कुछ बदले
बाहर बदले, भीतर बदले

क्या-क्या, हम जीवन भर बदले

बादल गरजे बिजली कडके
हवा चले जब भड़के भडके
रात अन्धेरी, चन्दा ओझल,
धक-धक जब हिवड़ा धड़ के।
हम बैठे आकंपित भीतर
क्या-क्या हम डर डर बदले।

क्या-क्या हम जीवन भर बदले।।

ऐसा वर दे, ऐसा वर दे

ऐसा वर दे, ऐसा वर दे,
कात्यायनी माँ झोली भर दे ॥

शशिमुख सुन्दर मनभावन सा,
चंचल चकित एक सावन सा।
आच्छादित मेघों सा हर्षित,
यज्ञ-देव के आह्वान सा ॥

स्वेद बिन्दु ललाट पर शोभित,
पल्लवित मन हृदय प्रफुल्लित।
अनघ अनन्तर यश लालस सा,
नवयौवन सा अप्रतिम विस्मित ॥

अघटित रचना सी विवशता,
ओसयुक्त पुष्पक कोमलता।
अक्षत अभ्यंकर सी छवि हो,
चपल भ्रमर सी चंचलता ॥

पर्वत सम धीर गम्भीर,
निर्मल शांत सुरसरि नीर।
अकुण्ठ प्रबल वायुगति सक्षम,
अटल सुसज्जित शौर्य प्रवीर ॥

ऐसा वर दे ऐसा वर दे।
कात्यायनी माँ झोली भर दे ॥

जिसकी राहें अनजानी हो

जिसकी राहें अनजानी हो,
जिसकी आँखों में पानी हो।
जिसकी बोली रब की बोली
पीर लगे या जो ध्यानी हो।
खड़े रहे चुपचाप चौराहे,
दर्द सभी का जो सहते हैं।

उसको यारो क्या कहते हैं,
उसको बुल्लेशाह कहते हैं ॥

जिसके चेहरे पर नूर दिखे,
जिसमें रहमत भरपूर दिखे।
जो सबकी सुनता हो दिल से,
हीरों में कोहिनूर दिखे।
करते-करते इश्क हक़ीक़ी
आँखों से झरने बहते हैं,

उसको यारो क्या कहते हैं,
उसको बुल्लेशाह कहते हैं ॥

जिसकी लौ लगी हुई हो,
जिसकी रूह जगी हुई हो।
दुनिया से बेखबर रहे जो,
जिसकी बातें छुई-मुई हों।
सच के झोंपड़ में जा बैठे,
झूठी मीनारें जो ढहती हैं,

उसको यारो क्या कहते हैं,
उसको बुल्लेशाह कहते हैं ॥

धूनी रमा जो तपना जाने,
नज़रें सबको अपना माने।
मस्त कलंदर बनकर बैठे,
जीवन को जो सपना माने।
सबके दिल में जो रहता है,
जिसके दिल में सब रहते हैं।

उसको यारो क्या कहते हैं।
उसको बुल्लेशाह कहते हैं ॥

बाक़ी सब शक के घेरे में, बस वो ही इंसान था

बाकी सब शक के घेरे में, बस वो ही इंसान था,
एक पूरी क़ौम की आवाज और एक शान था।

हर तरफ जब गूँजती थी, बेड़ियों की खनखनाहट,
सिर उठाकर चल दिया, एक वो ही नादान था।

अपने-अपने कुनबों में, उलझा हुआ था जब वतन,
एक वो ही था, जो पूरे मुल्क पर कुर्बान था।

एक धोती एक ऐनक में जिया, जो उम्र भर,
कहने वाले कहते हैं कि वो ही एक धनवान था।

बदल दी दुनिया की फ़ितरत, एक ही आवाज़ में,
कोलाहल के दौर में वो, यूँ तो बेजुबान था।

मुट्ठी भर हड्डी का ढाँचा और कृशकाया लिये,
हुकूमत को उसने झुकाया, एक वो ही बलवान था।

धीर गम्भीर सा जो बोले, हाथ लाठी पर रहे,
निहत्थे सत्ता हिला दी, एक वो ही जवान था।

हम लड़े, उसकी धरोहर को सब अपनी बनाने,
मानुषों की बस्ती में, वो तो एक मेहमान था।

जब अँधेरे में रोशनी कोई दिखती नहीं थी,
हर दलित पिछड़े की इज़्ज़त का, वो अरमान था।

लोग तो नैराश्य से, थक हार कर के बैठे थे,
गिर-गिर कर उठता था, वो शूर की सन्तान था।

हर लड़ाई जीत कर, नाम दुनिया में कमाया,
अहिंसा का वो पुजारी, अधर्म से अनजान था।

हर तरफ है दौड़ पाने को ख़िताबों की लगी,
उसको हम किससे नवाज़ें वो तो खुद सम्मान था।

बार-बार याद करके, जी नहीं भरता हमारा,
था वो एक अजूबा, आदम था या भगवान् था।

कुछ तो मेरे पास रखे हैं

कुछ तो मेरे पास रखे हैं,
कुछ तुम मुझको उधार दे दो।
गीतों की एक गागर भर दो,
ग़ज़लों का एक हार दे दो।

इन्द्रधनुष से रंग अनूठे,
ज्यों पत्थर से कोंपल फूटे,
ज्यों बंजारे होली गाए,
ज्यों नभ से एक तारा टूटे,
जो देने से बढ़ता जाए,
ऐसा ही एक प्यार दे दो।
कुछ तो मेरे पास रखे हैं, कुछ तुमं मुझको उधार दे दो॥

जो कहने पर रक्त बहा दे,
जो मिलने पर हर्ष जगा दे,
जब सारी दुनिया मुँह मोड़े,
जो बढ़कर के गले लगा ले,
जो जीवन भर साथ निभा दे,
ऐसा प्यारा यार दे दो।
कुछ तो मेरे पास रखे हैं, कुछ तुम मुझको उधार दे दो॥

नैना जिसके अबूझ पहेली,
जिसकी बोली गुड़ की भेली,
जो मुस्काये चंदा जैसे,
जो नित नूतन हो अलबेली,
बारह मास जो खिलता जाए,
ऐसा कोई शृंगार दे दो।
कुछ तो मेरे पास रखे हैं, कुछ तुम मुझको उधार दे दो ॥

जो रागों को रस में घोले,
जो देवों की वाणी बोले,
जो साँसों में खुशबू भर दे,
जिसकी धुन पर मनवा डोले,
जिससे रोम-रोम खिल जाए,
ऐसी कोई झंकार दे दो।
कुछ तो मेरे पास रखे हैं, कुछ तुम मुझको उधार दे दो ॥

कुछ हम दे दें कुछ हम ले लें,
कपड़ों की गेंदों से खेलें,
नीरस जीवन के आँगन में,
जैसे हो कस्बाई मेले,
जो तन-मन दोनों को भाए,
ऐसी एक बयार दे दो।
कुछ तो मेरे पास रखे हैं, कुछ तुम मुझको उधार दे दो ॥

काले-काले मेघा छाए,
घुमड़-घुमड़ आँसू बरसाए,
तटिनी यौवन सी जब उमड़े,
दामिनी अफ़सर सी कड़काए,
जो सब नदियाँ पार करा दे,
ऐसी एक पतवार दे दो।
कुछ तो मेरे पास रखे हैं, कुछ तुम मुझको उधार दे दो ॥

गैरों के बीच अपने बैठे हैं

लोग कुछ अनमने बैठे हैं,
अपने खून से सने बैठे हैं।
हालात बिगड़े इस कदर,
बिना बात ही तने बैठे हैं।
खामोशी की चादर लपेटे,
न जाने कितने जने बैठे हैं।
न बोलने की ठान कर,
ठूँठ ही से बने बैठे हैं।
अफसोस की बात यह है,
गैरों के बीच अपने बैठे हैं।

उसमें कैसे भाव जगाऐं

जिसने मीठे बोल सिखाऐं,
उसको कैसे घाव दिखाऐं।
जो गणेश की प्रतिमूर्ति है,
उसको हम कैसे समझाऐं।
संवेदनहीन पत्थर मन जो,
उसमें कैसे भाव जगाऐं।
बाहर कुछ और भीतर कुछ है,
उससे कैसे अपनापन पाऐं।
जो सपनों को धरा दिखा दे,
उसको हम कैसे अपनाऐं।

शब्दों को भावनाओं में हम पिरो गये हैं

गुजरे हुए वक्त से इतिहास में हम खो गये हैं।
अवसरों के दस्तकों के बीच में हम सो गये हैं।
और कुछ कर पाये या न कर पाये हम,
आँसुओं से गहराते जख्मों को हम धो गये हैं।
हम किसी के आँख के तारे हुए या न हुए,
जिन्दगीनुमा छतों को प्यार से हम भिगो गये हैं।
इन कटीली राहों पर चुपचाप चलते-चलते,
अपनों से दूर और गैरों के हम हो गये हैं।
कह न पाये बात दिल की हम चाहे न किसी से,
शब्दों को भावनाओं मे हम पिरो गये हैं।

बेबस बैठे हैं परदेस में

बेबस बैठे हैं परदेस में,
स्वजनों को ढूँढे हर भेष में
कैसे-कैसे मनसूबे थे,
हम तो सपनों में डूबे थे।
सोचा परिलोक में आये,
जो मिलते वो अजूबे थे।
अजनबियों के बीच खड़े हम,
भीतर भय से खूब लड़े हम।
बाहर नीरवता का आंगन,
घर की यादों में जकड़े हम।
बादल उमड़े मौसम भीगा,
मन ना हरषे इस कलेस में।
बेबस बैठे हैं परदेस में।

सूनी सूनी-सी ये गलियाँ,
अन्दर कुछ हिला देती है।
जिजीविषा कितनी बली हो,
अश्रुजल पिला देती है।
हरे भरे बागों के बीच,
संवेदनाएँ सूनी पड़ी हैं।
बन्धुत्व, अपनेपन की चाह,
जाने किस धरा में गड़ी है।

यह छीना झपटी निज हित की,
मानव मन को रोंद रही है।
ईर्ष्या-वन की अट्टाहसों में,
कौन गलत है कौन सही है।
शब्द हृदय की वाणी बन,
मुखरित होने से क्यों डरता।
अचल विवेकी अतिरंजित-सी,
बहसों से मन क्यों न भरता।
मेरी मनोदशा पर हँसकर,
बतखें कल-कल करती फिरती।
क्या छिपा उनके सन्देश में,
बेबस बैठे हैं परदेस में।

आओ लौट चले अब घर

शाम ढली पंख समेटे,
आओ लौट चले अब घर।
कहाँ कहाँ से गुजर गये,
यादें होती जाती जर्जर।

कई कथाओं के नायक बन,
हमने बहुतेरे ज़न मनाये।
गा-गा गीत प्रणयप्रीत के,
हमने सौरभ पथ बनाये।
यायावरी का जीवन जी कर,
बहुतों को सन्देश सुनाये।
शब्दों के आडम्बर रचकर,
दुनिया भर में खेल दिखाये।
बहुत हुआ अब थका हुआ मन,
क्यों जिये जीवन मर मर।
आओ लौट चले अब घर।

सूरज की किरणें उदास है,
पक्षी उड़े नीड़ की ओर।
थकहारा पशुधन भी लौटा,
फिर देखेंगे नई भोर।
चहल पहल बेमानी लगती,

गीत बन गये बेढ़ब शोर।
लौटे बोझिल पैर दिन छिपे,
लोग ढूँढ़ते अपनी ठौर।
साँसों की धड़कन ही दौड़ती,
जीवन तो अब गया ठहर।
आओ लौट चले अब घर।

स्मृतियों की टेक लगाते,
कब तक मन को बहलाएँगे।
यादों के पहिये निर्मित कर,
कब तक तन को दौड़ाएँगे।
तन शिथिल मन उदास है,
कब तक प्रणय गीत गाएँगे।
समय कह रहा है चुपके से,
दूर हटो अब नव आएँगे।
जीवन-नौका टूट चुकी है,
लील ही लेगी अब यह लहर।
आओ लौट चले अब घर।।

मेरा पूरा अस्तित्व उदास है

मेरे पास बचा था दर्द,
और सभी कुछ छूट गया।
लिखते लिखते गीत सुरीले,
भीतर मन कुछ टूट गया।
अनबूझा गन्तव्यहीन सा,
मेरा पूरा अस्तित्व उदास है।

बस कुछ देर और सह जाता,
सुख जाते-जाते कह जाता।
फिर आऊँगा भेष बदल कर,
अमृत-जल अंजुल मे भर-भर।
यह उदासी क्षण भर को आती,
सदियों का सुख चैन मिटाती।
मन उदास भीतर ही रोता,
कुछ पल तो आशा का होता।
इस अन्धियारे दृश्य पटल पर,
चातक को स्वाति की आस है।
मेरा पूरा अस्तित्व उदास है।

हँसी मुस्कान हवा हो गयी,
सुखद स्मृतियाँ कहाँ सो गयी।
अश्रुजल ने साथ निभाया,
चोटों ने दिल को बहलाया।

कभी कसक घाव छू लेती,
विस्मृतियाँ दारुण दुख़ देती।
कोमल स्वर विलुप्त हो गये,
अधरों पर सब गीत सो गये।
जाने क्या क्या ठुकराया है,
अब मन को किसकी तलाश है।
मेरा पूरा अस्तित्व उदास है।

कैसा यह उपक्रम रचा था,
अन्तिम साथी दर्द बचा था।
यह मेरे साँसों में बस कर,
साथ न छोड़े मेरा पल-भर।
बहुत हुआ कह कर यह सहचर,
बस अब यह जाने को तत्पर।
दर्द भी छोड़े साथ हमारा,
कहाँ डोलू मैं मारा-मारा।
निष्प्राण हुआ मेरा तन भी,
हिल ही गया मेरा विश्वास है,
मेरा पूरा अस्तित्व उदास है।

बैठे बैठे शरमायी बातें तुम्हारी

लौट लौट याद आयी बातें तुम्हारी,
घूम-घूम दिल में समायी बातें तुम्हारी।
बरसों से ठूँठ मन लिये बैठे हैं हम,
सावन की घटा सी छायी बातें तुम्हारी।
सोच सोच सोच मन पुलकित होता
बार बार गुनगुनायी बातें तुम्हारी।
प्यारी प्यारी मीठी कानों में रस घोलती,
अल्हड़ यौवन सी मदमायी बातें तुम्हारी।
महफिल में जिक्र होते ही तुम्हारा,
बैठे बैठे शरमायी बातें तुम्हारी।

बेटी का सन्देश

बाबुल का सन्देश सुने बिन,
जाने कितने दिन बीते हैं।
पिय संग सुख चाहे कितना हो,
फिर भी पल कुछ कुछ रीते हैं।

जब उदास होता है यह मन,
याद आए बाबुल का आँगन।
वो पापा का सिर सहलाना,
भूले दुःख, हो जाए मगन।

वो छोटी बहना से लड़ना,
झूठी सच्ची बातें गढ़ना
बैठे, दुनिया भर को हँसना
हाथों से सपनों को पकड़ना

वो गर्मी की छत की रातें
दिन भर बीतीं उसकी बातें
वो पापा का रोष दिखाना
बीती शामें हँसते गाते

पिय घर आकर सोचे मनवा
क्या हारे और क्या जीते हैं।
बाबुल का सन्देश सुने बिन
जाने कितने दिन बीते हैं।

त्योहारों पर सजना - सवँरना
गुड़ियाओं सा बनना - ठनना।
जब सारा जग बैरी लागे,
वो पापा - पीछे जा छुपना।

ना कोई खत ना कोई खबर है
परदेसो सा अब वो घर है।
बेटी को सब भूल गये है,
घर जाती अनजानी डगर है।

ओ पपीहा बाबुल को बुला दे
मेरी थोड़ी याद दिला दे।
बस एक पल का मिलन करा दे,
सारे मेरे शोक मिटा दे।

सब कुछ छोड़ चले बाबुल घर
भीतर भीतर आँसू पीते है
बाबुल का सन्देश सुने बिन
जाने कितने दिन बीते है।

यह किसने है रीत बनाई,
बेटी धन होती है पराई।
एक पल में ही जीवन बदला,
पिय-संग दे, बाबुल से जुदाई।

कुछ दिन ओर वहीं रह आती,
तो क्या तुमको दुख दे जाती।
स्वजनों का बिछोह दुखद हैं,
जैसे तेल बिना ही बाती।

माना मुझको सुख मिल जाये,
सोच यही सब काम कराये।
नव जीवन तो है दे डाला,
फिर फिर मनवा ये भरमाये।

जब भी तेरी याद सताए,
बाबुल होठों को सीते हैं।
बाबुल का सन्देश सुने बिन
जाने कितने दिन बीते है।

बस एक बार इधर को आते,
मेरा भी सुख-दुख सुन जाते।
मैं कुछ कहती, तुम कुछ कहते,
अपने दिल की बात बताते।

तुमने मुझको पलकों पर पाला,
अपने मुँह का दिया निवाला।
नील कण्ठ सा खुद विष पीकर,
गिरतें पड़ते हमें सम्भाला।

मैं सब सुख भोगूँ इस घर में,
जो चाहूँ मिलता पल भर में।
फिर भी हूक उठे इस दिल में,
काश! मिले तू मेरी डगर में।

तुम तो भूल चुके हो हमको,
हम जाने कैसे जीते हैं।
बाबुल का सन्देश सुने बिन,
जाने कितने दिन बीते हैं।

□□□